MÈNE L'ENQUÊTE

AVEC MAX 003

SUR LA PISTE DU SINGE DISPARU

Texte : Son Tyberg

Dessins et mise en pages : Mario Boon

Cette édition par : Chantecler, Belgique-France
Idée originale et conception graphique: ZNU
Auteur : Son Tyberg
Traduction : Cédric Gervy
Illustrations et mise en pages : Mario Boon
D-MMII-0001-131
Imprimé dans l'UE

Max 003

Max 003 a reçu un drôle de message.
Lis plutôt.

Un singe a disparu ? Max 003 veut bien se lancer à sa recherche.
Mais il a besoin d'aide. Veux-tu être son assistant ?
Alors, complète la carte ci-dessous !

3 épreuves

Max 003 veut bien que tu l'accompagnes, mais... tu dois d'abord passer 3 épreuves. Pour prouver que tu as du flair !

Épreuve 1

Combien de fois est écrit le nom Max dans la grille ci-dessous ? Cherche dans tous les sens, horizontalement et verticalement, mais pas en oblique.

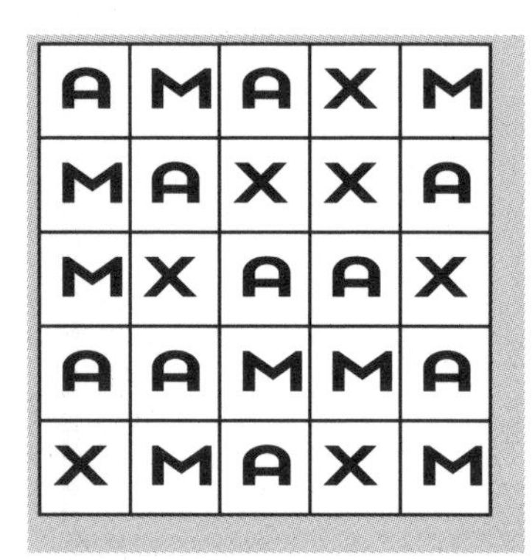

A	M	A	X	M
M	A	X	X	A
M	X	A	A	X
A	A	M	M	A
X	M	A	X	M

.... fois

Épreuve 2

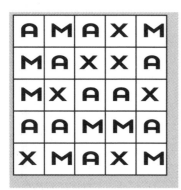

Déchiffre le slogan publicitaire de Max 003.

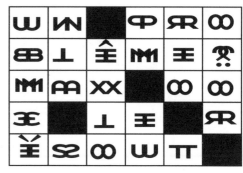

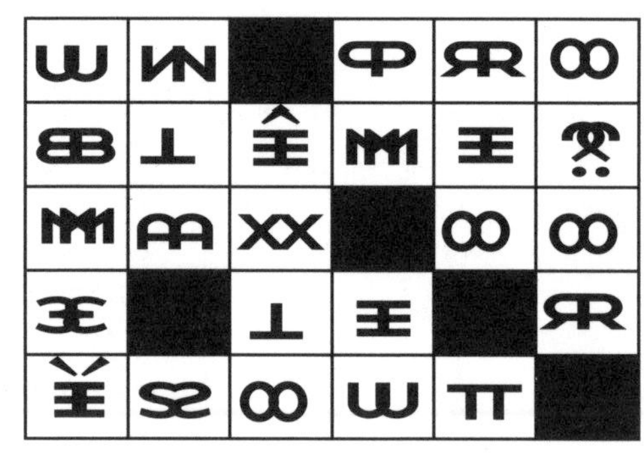

Le slogan est

....

Épreuve 3

Cherche les **7 différences** entre ces 2 photos de Max 003. Entoure-les.

Le matériel de détective

Max 003 ne part jamais sans son matériel de détective.
Il a préparé sa liste.
Peux-tu retrouver ces objets dans sa chambre en désordre ?
Entoure-les, pour qu'il ne les oublie pas...

Le chien détective

Max 003 ne part jamais en mission sans son chien.
Mais comment s'appelle-t-il ?
Barre dans la grille tous les noms de chiens de la liste.
Cherche-les dans tous les sens, mais pas en oblique.
Les lettres qui restent te donnent le nom du chien de Max 003.

BARRY
BILL
DRAGON
EZRA
FLASH
FOX
FRODO
KAZAN
KENZO
KITO
POP
RADAR
RICKY
ROLF
ROMEO
TOM
WODAN

K	A	Z	A	N	W	K	B	Y	R
H	S	A	L	F	O	I	A	K	A
N	K	P	O	P	D	T	R	C	D
O	E	X	O	F	A	O	R	I	A
G	N	R	F	B	N	L	Y	R	R
A	Z	O	M	I	R	O	M	E	O
R	O	L	O	L	O	D	O	R	F
D	I	F	T	L	E	Z	R	A	X

Je m'appelle

....

Le labyrinthe de rues

Vous voilà donc partis, toi et Max 003, à la recherche du singe disparu. Max 003 voudrait d'abord en savoir plus. Il se rend donc à **Villeneuve**.
Colorie le chemin qu'il doit suivre.

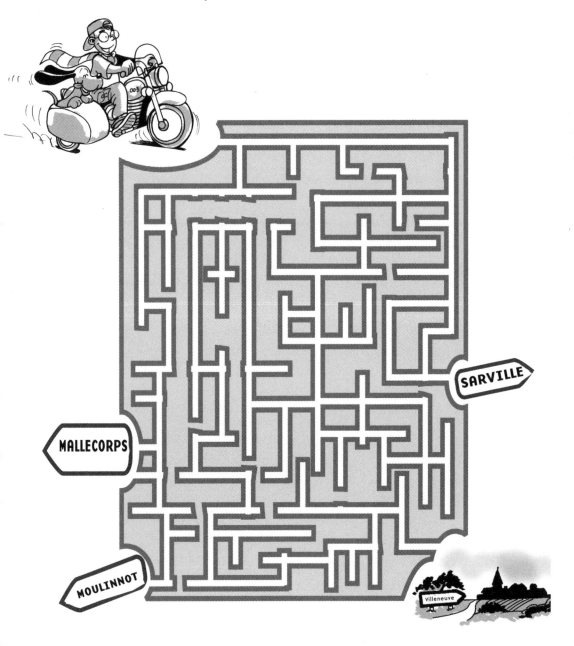

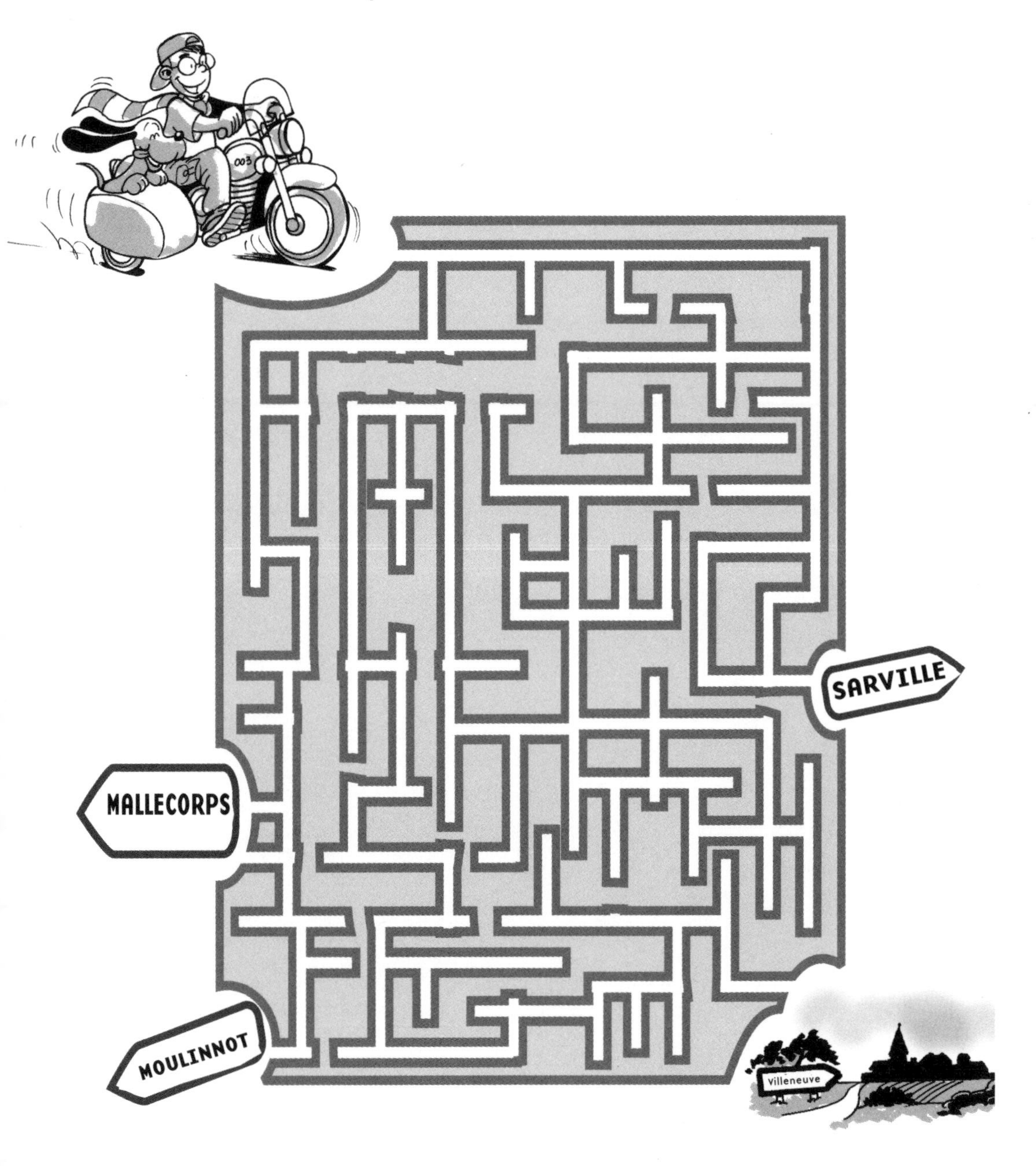

La rue des Bananiers

Max 003 est à Villeneuve. Mais où est la rue des Bananiers ? Un passant lui indique le chemin.

Colorie la rue des Bananiers.

Prends la première rue à gauche. Au bout de cette rue, tourne à gauche. Tourne encore à gauche dès que tu peux et prends la troisième rue à droite. Continue jusqu'au premier carrefour. La rue à gauche est la rue des Bananiers.
ÉCOLE
003

Le panneau mystérieux

Arrivé au numéro 7 de la rue des Bananiers, Max 003 voit la grille du jardin zoologique. Quel est le nom du zoo ?

Aide Max à lire le panneau.
Colorie toutes les cases où tu vois apparaître **deux points**.

Qui est qui ?

Pierre Boule est le **directeur** du jardin zoologique. Max 003 voudrait lui parler. Mais qui est-ce ?

Aide Max 003 à trouver le directeur.

- Le directeur ne se déplace pas avec une canne.
- Il n'est pas le plus grand.
- Il ne porte pas de chapeau.
- Il porte une moustache et des lunettes.

La cage vide

Le directeur montre la cage vide du singe disparu à Max 003. Comment **s'appelle** le singe ?

Demande conseil à 5 animaux pour trouver le nom du singe disparu. **Écris** leur **nom** dans la grille et lis ce qui apparaît dans les cases grises.

Cherche la clé

Soudain, Flix se met à aboyer. Il a senti quelque chose dans la cage et Max voudrait savoir de quoi il s'agit. De quelle clé a-t-il besoin pour ouvrir le cadenas ?

Colorie la bonne clé.

Les empreintes de chaussures

Max 003 regarde autour de la cage. Il ne voit rien, sauf plusieurs **empreintes** de chaussures. L'empreinte du voleur doit être parmi elles !

Voici les empreintes :

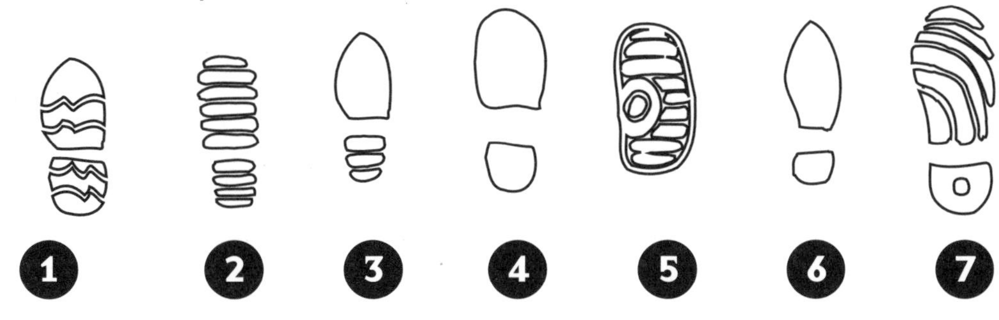

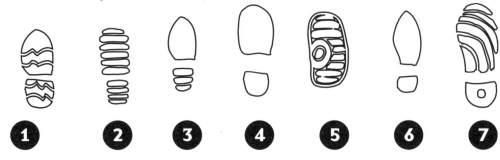

Voici les semelles des **soigneurs** :

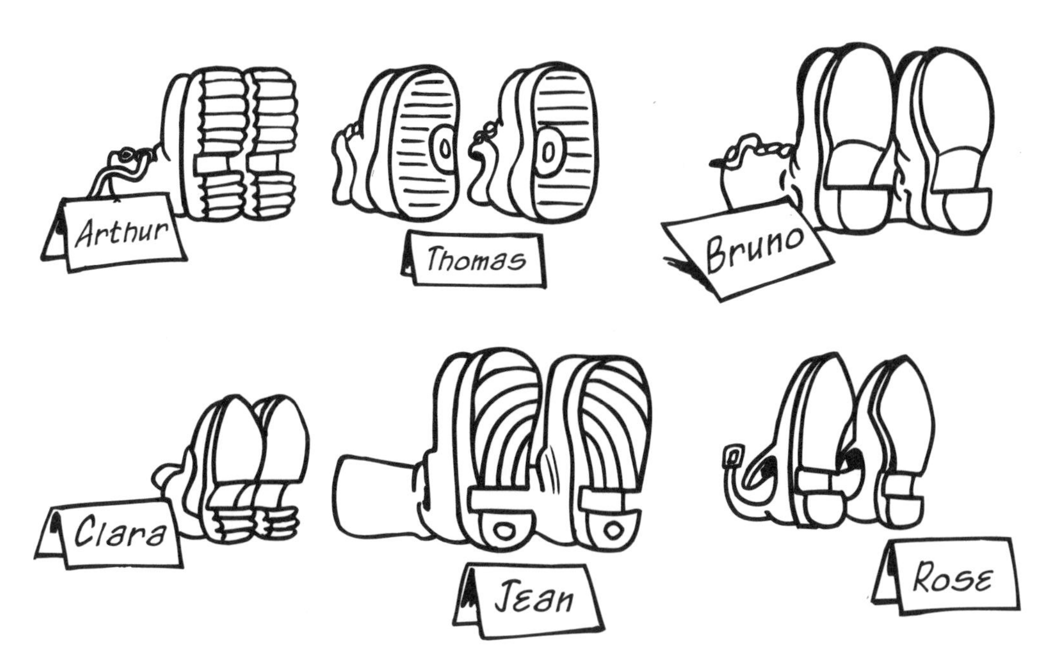

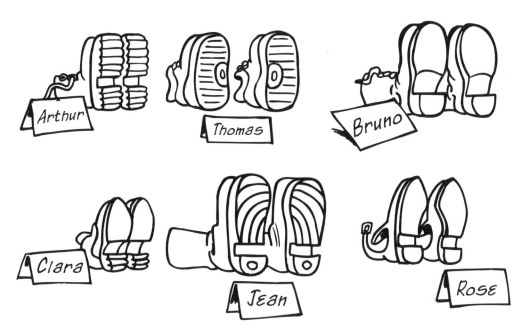

Colorie l'empreinte de la chaussure du voleur.

Le puzzle de l'aigle

Max 003 voit alors quelque chose d'étrange dans la cage à côté de celle du singe. Que tient cet aigle dans son bec ?

Cherche la **pièce manquante du puzzle** et colorie-la.

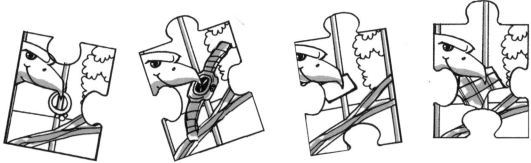

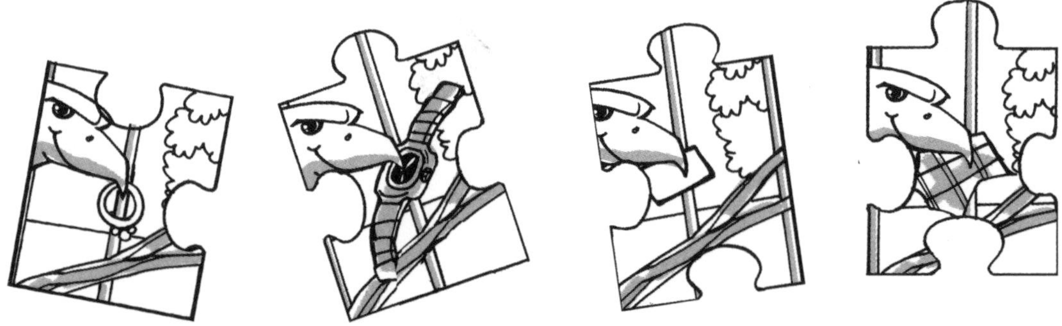

Le message codé

L'aigle donne la carte de visite à Max 003.
Mais... le message est codé.

Peux-tu **lire** ce qui est écrit sur la carte ?
Max 003 a déjà trouvé le code !

VOICI LE CODE :

A	B	C
D	E	F
G	H	I

J	K	L
M	N	O
P	Q	R

Perdu dans le bois

Max 003 est ravi. Cette carte le mène directement au voleur ! Flix a juste le temps de s'asseoir dans le side-car que Max 003 démarre à toute vitesse. Direction Boileau ! Mais là, pas de chance, Max 003 se perd dans le bois.

Colorie le chemin le plus court vers la **maison n° 48**.

Le rébus

Grâce à ton aide, Max 003 a trouvé la maison de V. Branche. Sur la porte, il y a une **lettre** avec des dessins dessus. V. Branche ne sait-elle pas écrire ?

Aide Max 003 à **déchiffrer** la lettre.

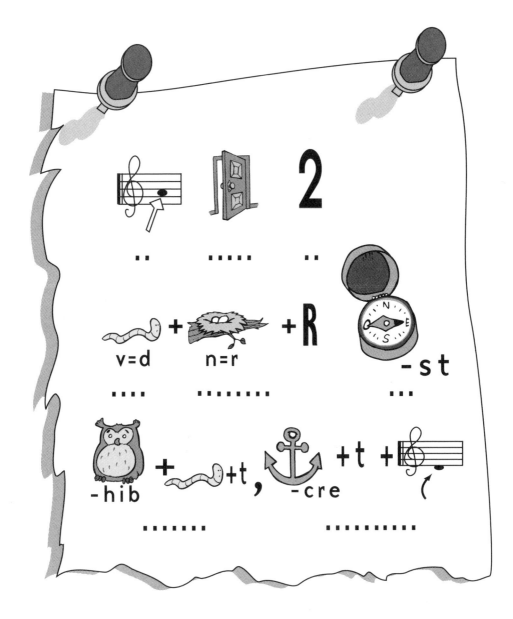

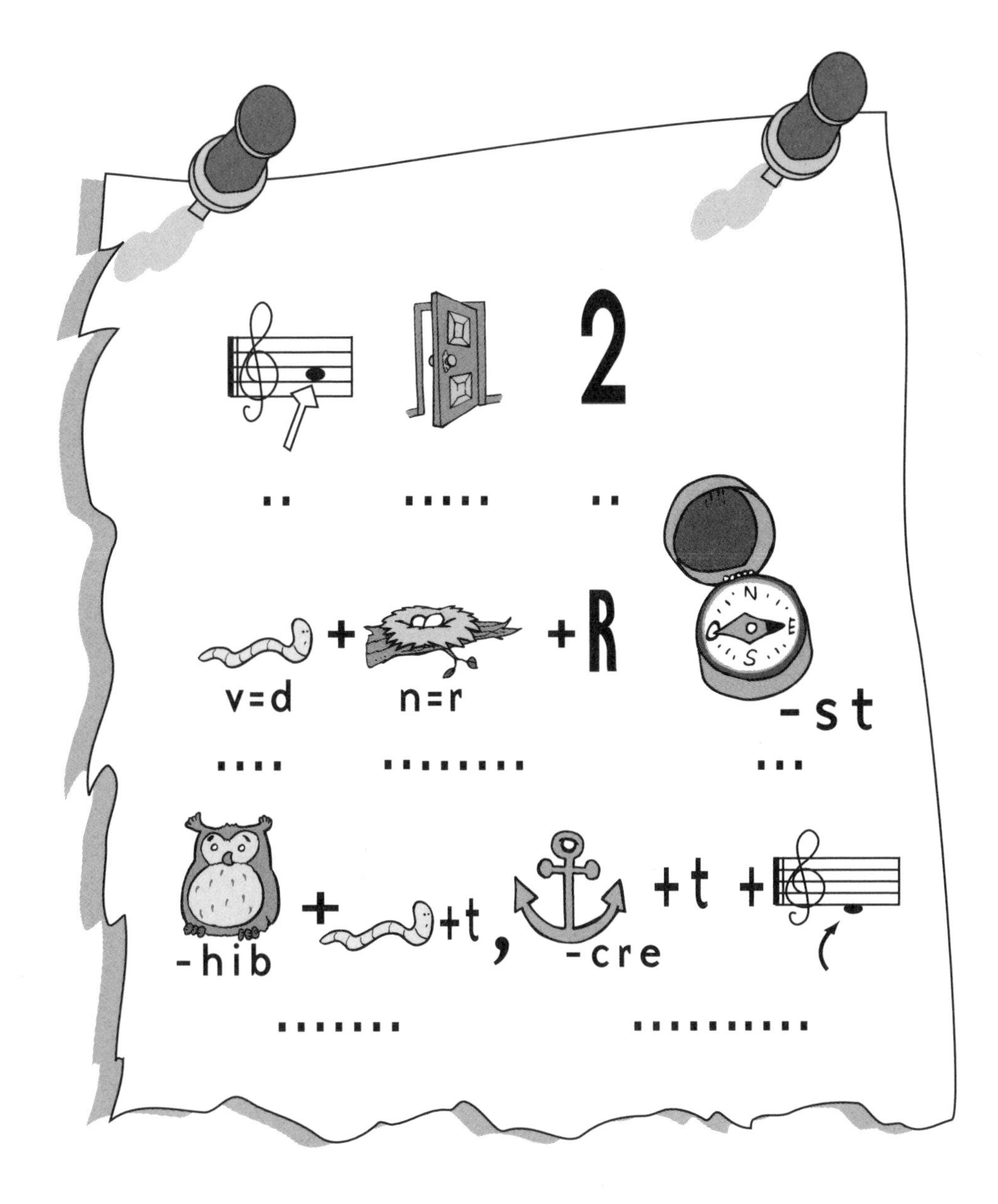

Les empreintes de mains

Max 003 entre dans la maison. Il est à la recherche d'**empreintes**. Il en trouve beaucoup, mais une seule revient plusieurs fois. Cela doit être celle de V. Branche !

Entoure les empreintes de V. Branche.

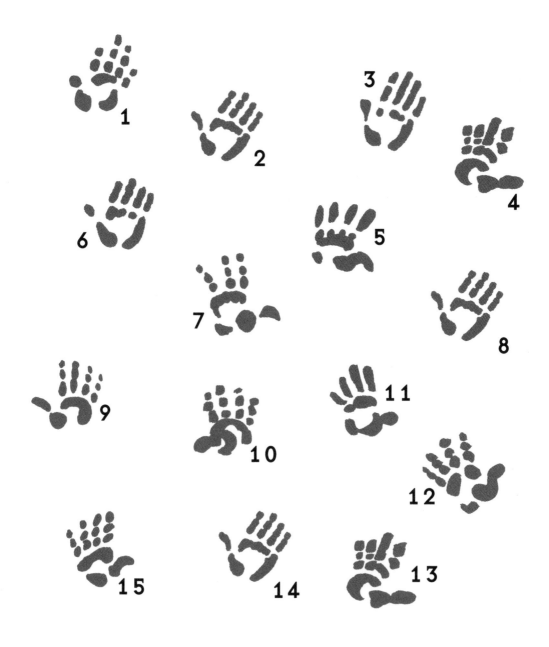

V. Branche

Crii-ii-iic ! C'est la porte d'entrée. Une vieille femme entre. Flix se met à aboyer comme un fou. Que voit-il ? Est-ce le singe disparu ?

Relie les points de 1 à 70.

La langue mystérieuse

Pendant que Flix et la chèvre de V. Branche mettent la maison sens dessus dessous, Max 003 interroge la femme. Mais on dirait qu'elle parle une langue étrangère. Comprends-tu ce qu'elle dit ?

Écris sur les pointillés ce que dit V. Branche.

Iuo, ettec etrac tse à iom. Ej ia'l eudrep ua ooz. Siam ej ia'n sap élov ed egnis. Euq siaref ej ceva nu egnis ? ia'j àjéd zessa ed sicuos ceva aroZ, am ervèhc !

....

....

....

....

....

....

....

....

....

....

....

....

La fenêtre avec le singe

La carte était donc une fausse piste. Mais V. Branche peut quand même aider Max 003. Hier, elle a vu un singe derrière une des fenêtres d'un immeuble à l'orée du bois.
Max 003 court vers l'immeuble. Il ne voit pas de singe, mais il sait ceci :

- Le singe était au-dessus d'une fenêtre avec un pot de fleurs.
- Il n'était pas à côté d'une fenêtre avec un rideau.
- Il était sous une fenêtre avec un vase.

Colorie la fenêtre où V. Branche a vu un singe.

Déchiffre le message !

Max 003 monte au 3e étage et sonne à la bonne porte. Mais l'homme ne veut pas ouvrir. Max 003 doit d'abord prouver qu'il est un vrai détective. L'homme passe un morceau de papier sous la porte. Si Max 003 arrive à déchiffrer le message, il pourra entrer.

Toi aussi, tu veux entrer ? Alors, **déchiffre** le message !

Les couleurs codées

L'homme laisse entrer Max 003. Et Max 003 le voit tout de suite. Toi aussi ?

Colorie suivant le code.

▼ = brun, ● = vert, ❖ = jaune, ■ = rouge, ◗ = bleu

Quelle heure est-il ?

Pas de trace de Samba ! Pendant que Flix joue avec le singe en peluche, Max 003 reçoit un coup de téléphone. Sur l'écran de son téléphone mobile apparaît le message suivant :
« Viens à 16 heures au zoo. Je dois te parler d'urgence. »
À 16 heures... Combien de temps reste-t-il encore à Max 003 ?

Il y a beaucoup d'horloges dans la pièce. Mais... **seulement deux** horloges donnent l'heure juste. Peux-tu dire à Max 003 quelle heure il est ?

La fourgonnette

En chemin vers le zoo, Max 003 doit attendre à un feu rouge. Devant lui se trouve une fourgonnette. Sur la vitre arrière, qui est très sale, il voit d'étranges gribouillis. Serait-ce un message ?

Aide Max 003 à déchiffrer les gribouillis. Suis chaque ligne de **point à point** avec un feutre de couleur.

La mission de Flix

Max 003 veut suivre la fourgonnette mystérieuse, mais il doit aussi aller au zoo. Que faire ? Peut-être que Flix...

Quelle **mission** reçoit Flix ?

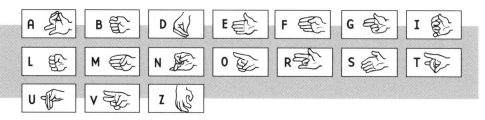

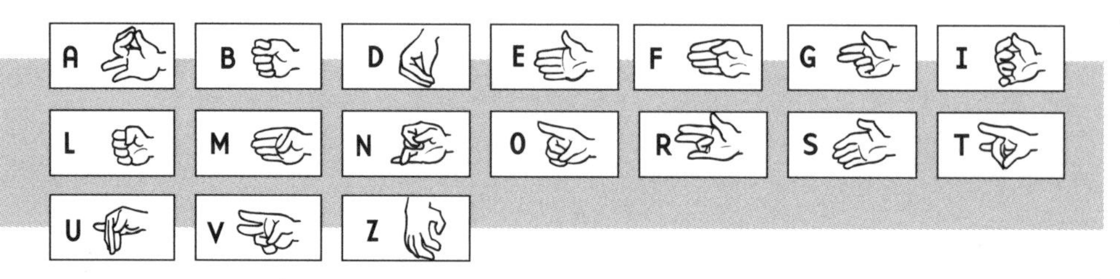

Jeu d'ombres

Max 003 laisse sa moto près de l'entrée du zoo.
Il cherche le directeur. Mais, bien sûr, tu as déjà vu qu'il est derrière un arbre.

Quelle **ombre** est celle du directeur, avec qui tu as déjà fait connaissance à la page 10 ?

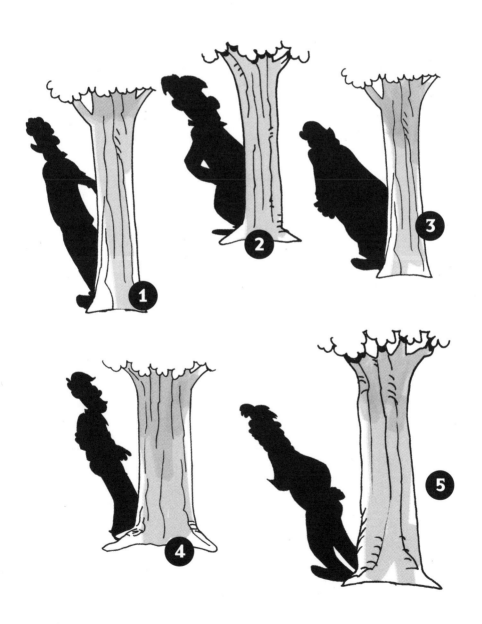

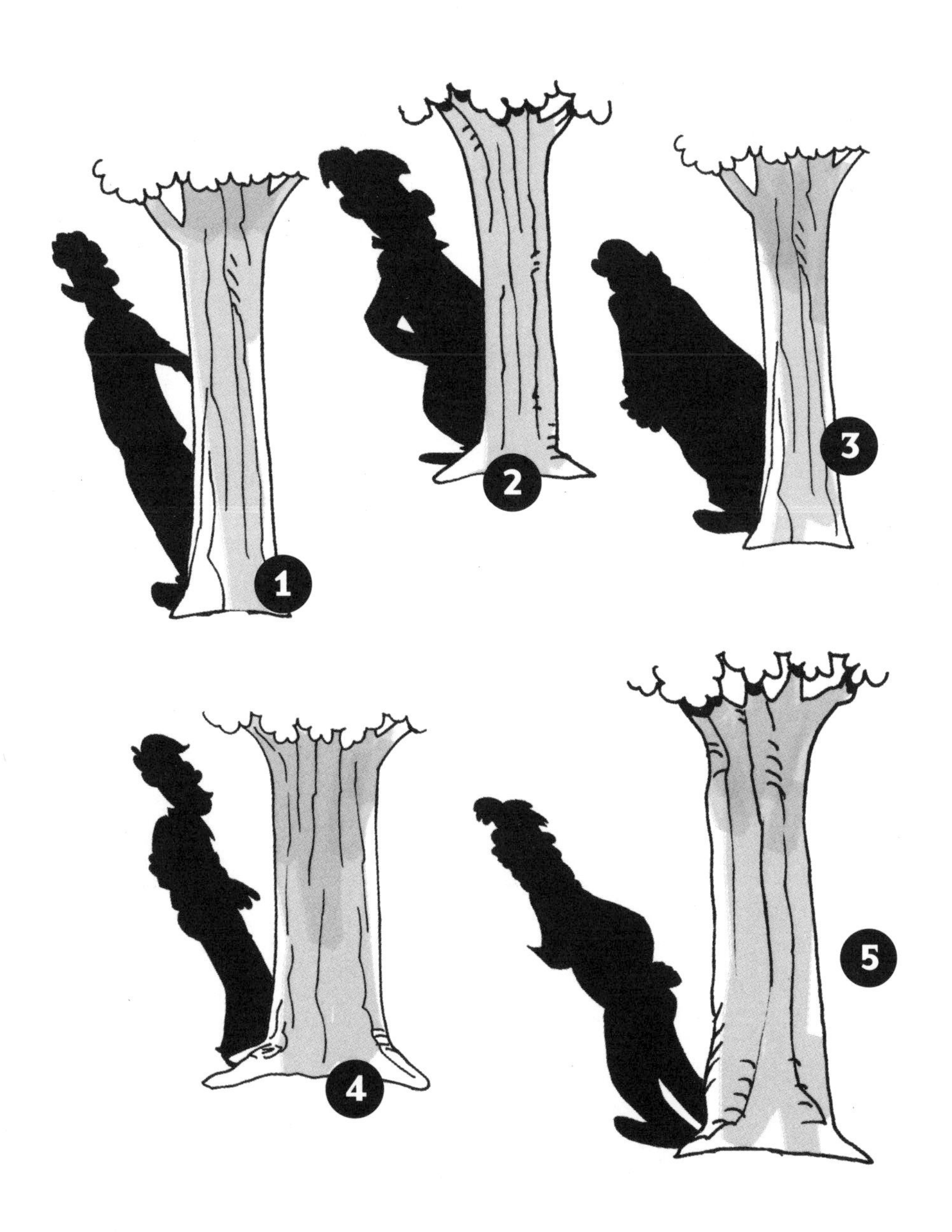

Le message des grilles

Le directeur emmène Max vers la cage du singe disparu, Samba. Aux barreaux sont accrochés 2 morceaux de papier. Qu'y a-t-il dessus ?

Si tu écris les lettres d'un des morceaux de papier entre celles de l'autre, peut-être pourras-tu lire quelque chose qui aiderait Max 003 ?

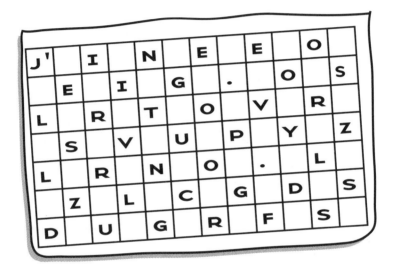

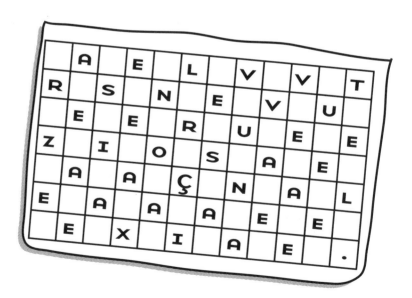

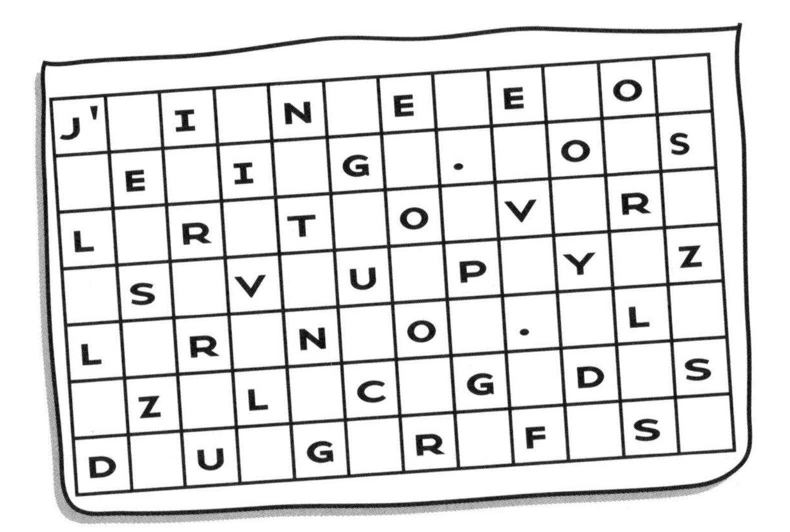

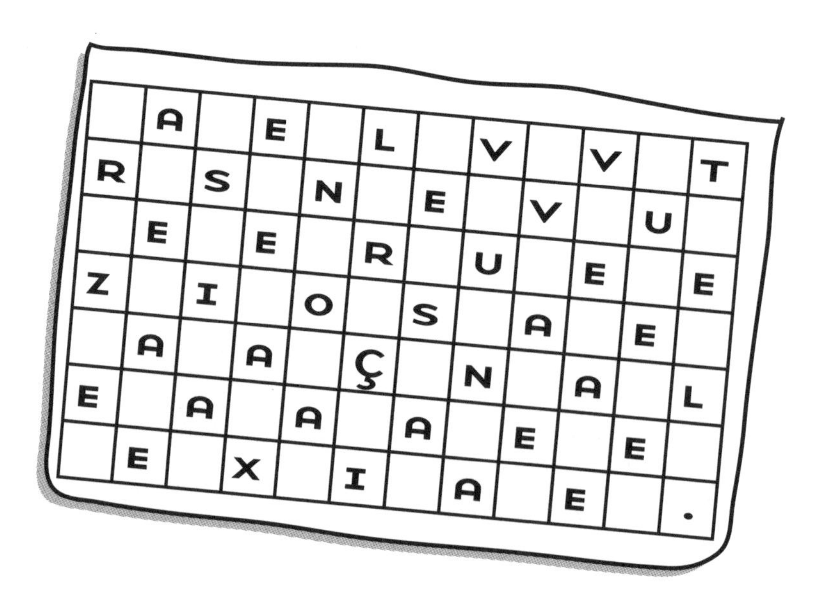

La cage des girafes

Max 003 ne comprend rien, mais il va vers la cage des girafes. Il y trouve un autre message.

Compte toi-même la rançon :
- Compte le nombre de taches de la grande girafe = ...
- Compte le nombre de taches de la petite girafe = ...
- Soustrais le plus petit nombre du plus grand = ...
- Multiplie le résultat par 5 = ...
- Mets deux zéros derrière ce nombre = ... euros.

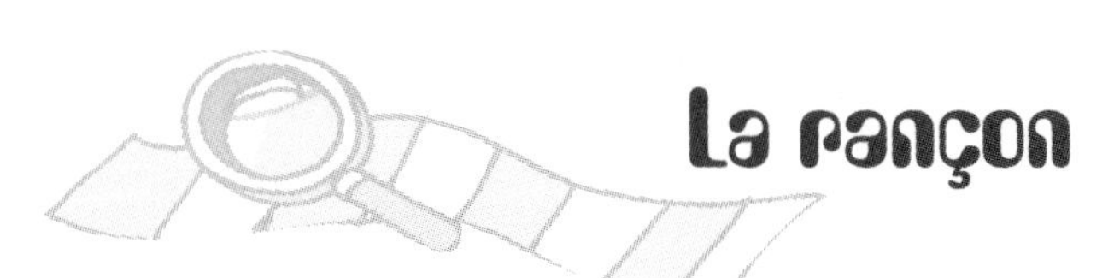

La rançon

Bien, Max 003 connaît maintenant le montant de la rançon. Mais le directeur a-t-il assez d'argent pour la payer ?

Compte les pièces et les billets !
Inscris le **montant total** dans la tirelire.

La grille d'animaux

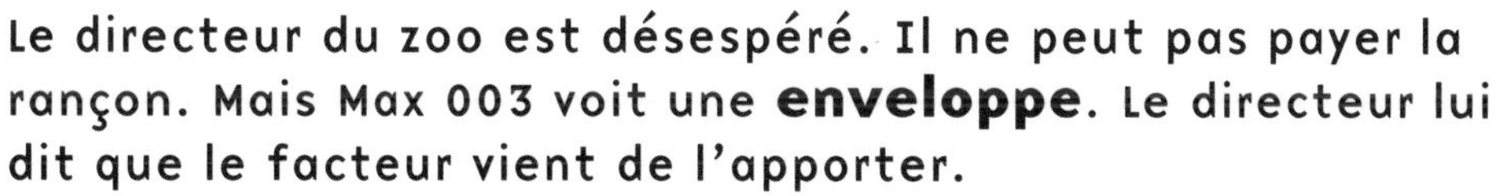

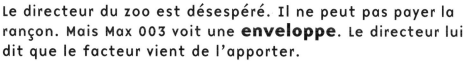

Le directeur du zoo est désespéré. Il ne peut pas payer la rançon. Mais Max 003 voit une **enveloppe**. Le directeur lui dit que le facteur vient de l'apporter.
Max 003 ouvre l'enveloppe et regarde le papier qui se trouve dedans.

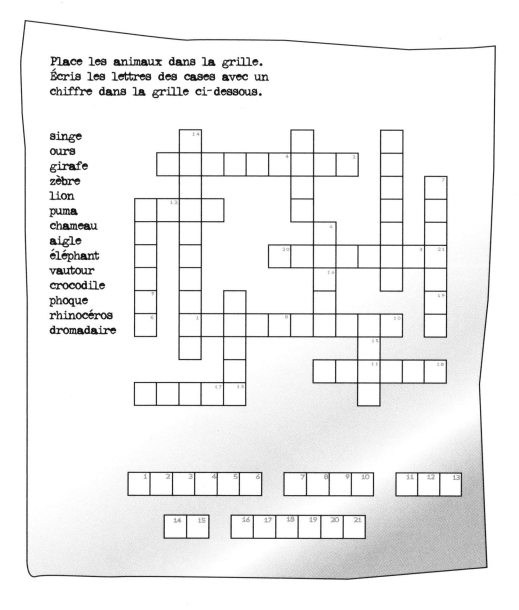

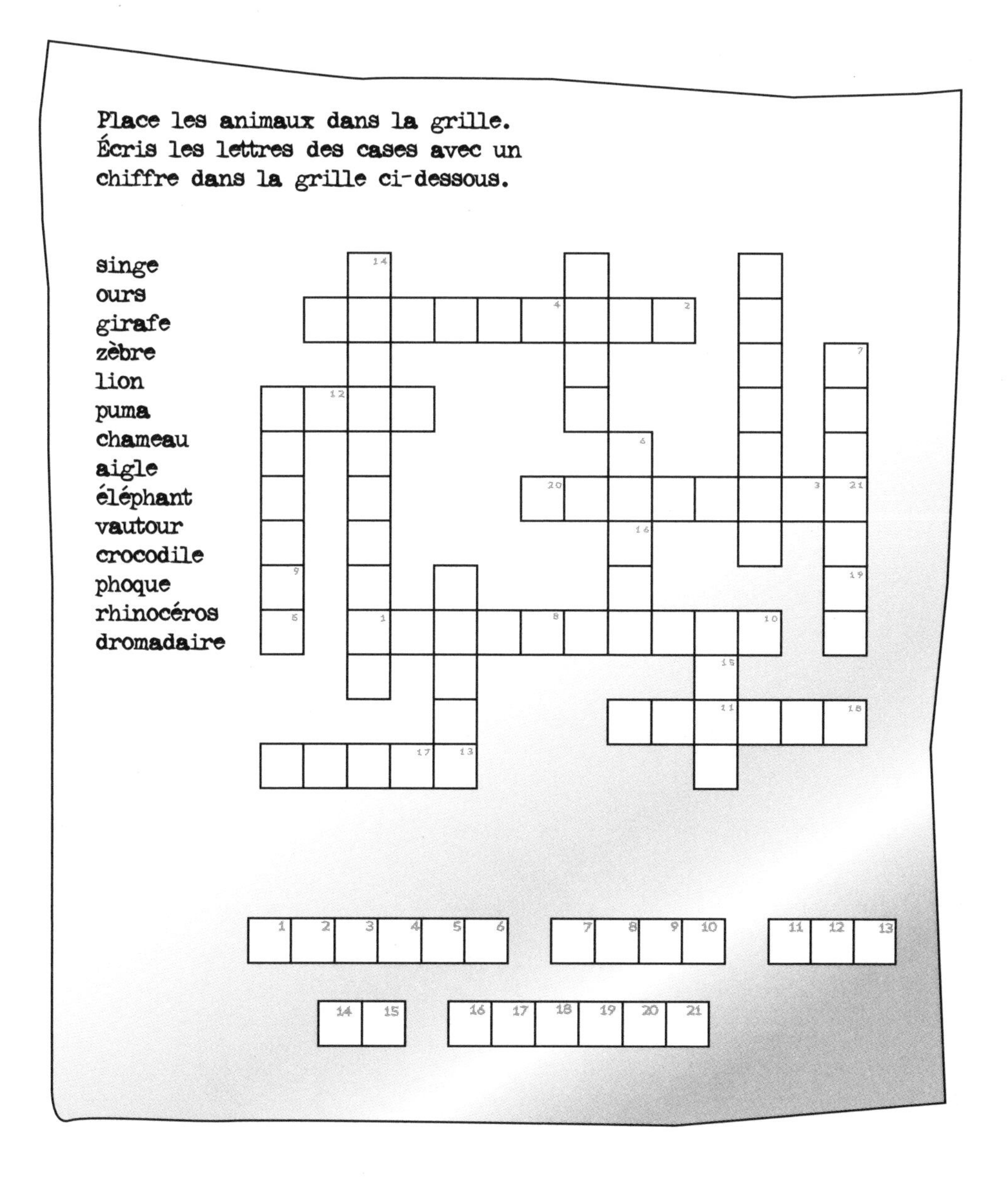

Où est Flix ?

La rue du Bleuet ? Max 003 la connaît bien !
Et il connaît le chemin. Mais, d'abord, il doit retrouver Flix, qui est certainement déjà arrivé au zoo.

Regarde avec les **jumelles** de Max 003. Où Flix s'est-il caché ?

La tache de sang

Flix a suivi la fourgonnette. Il a même rapporté une chaussure ! Il y a une tache de sang dessus...

Regarde bien la **semelle de la chaussure**. Correspond-elle avec l'empreinte du voleur que tu as trouvée à la page 13 ?

Max 003 retourne au bureau du directeur. Il découpe un journal en morceaux et les cache dans une **enveloppe**. Qu'écrit Max 003 sur l'enveloppe ?

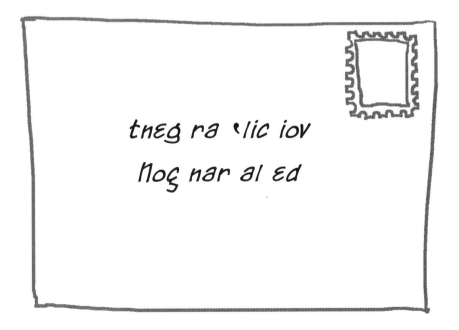

À la recherche de traces

Encore une heure et il fera noir... Max 003 fonce vers la rue du Bleuet. Flix reconnaît le chemin. Il gronde, menaçant. De loin, Max 003 voit une fourgonnette stationnée devant la maison de V. Branche. Il laisse sa moto dans le bois et continue à pied.
Près de la fourgonnette, il trouve une **trace** étrange.

Suis la trace, en commençant à la flèche.

La malle fermée

Flix aboie furieusement. On entend du bruit dans la malle. Max 003 veut l'ouvrir, mais elle est fermée à clé.

Quelle **corde** Max 003 doit-il suivre pour trouver la clé ?

La langue des nombres

Max 003 est sur le point d'introduire la clé dans la serrure de la malle, mais, soudain, il entend une grosse voix. Il reconnaît cette voix, mais il ne comprend rien.

Bien sûr, toi, tu as compris : c'est la voix de V. Branche, qui parle cette fois en langue des nombres.
Son **code** est simple: a = 1, b = 2, c = 3...

14'25 20-15-21-3-8-5 16-1-19 !
3' 5-19-20 21-14 3-1-4-5-1-21
16-15-21-18 13-15-9 4-5 12-1
16-1-18-20 4-5 13-15-14 6-9-12-19 .
4-5-13-1-9-14 3'5-19-20 13-15-14
1-14-14-9-22-5-18-19-1-9-18-5

Qui suit V. Branche ?

C'est en effet V. Branche. Mais elle est suivie par...

Relie vite les points de 1 à 58.

Qu'y a-t-il dans la malle ?

Flix commence à aboyer furieusement. Max 003 comprend tout : la tache de sang sur la chaussure... la fourgonnette avec le singe... le ravisseur qui est le fils de V. Branche... Max 003 ouvre vite la malle. Que voit-il ?

Reproduis le dessin complet dans la grille vide.

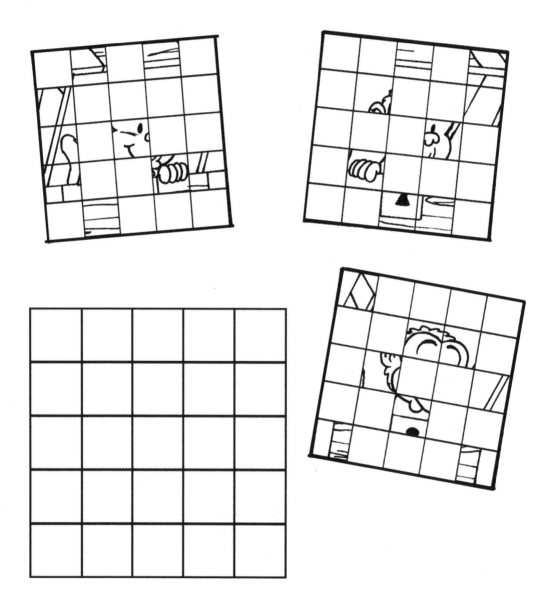

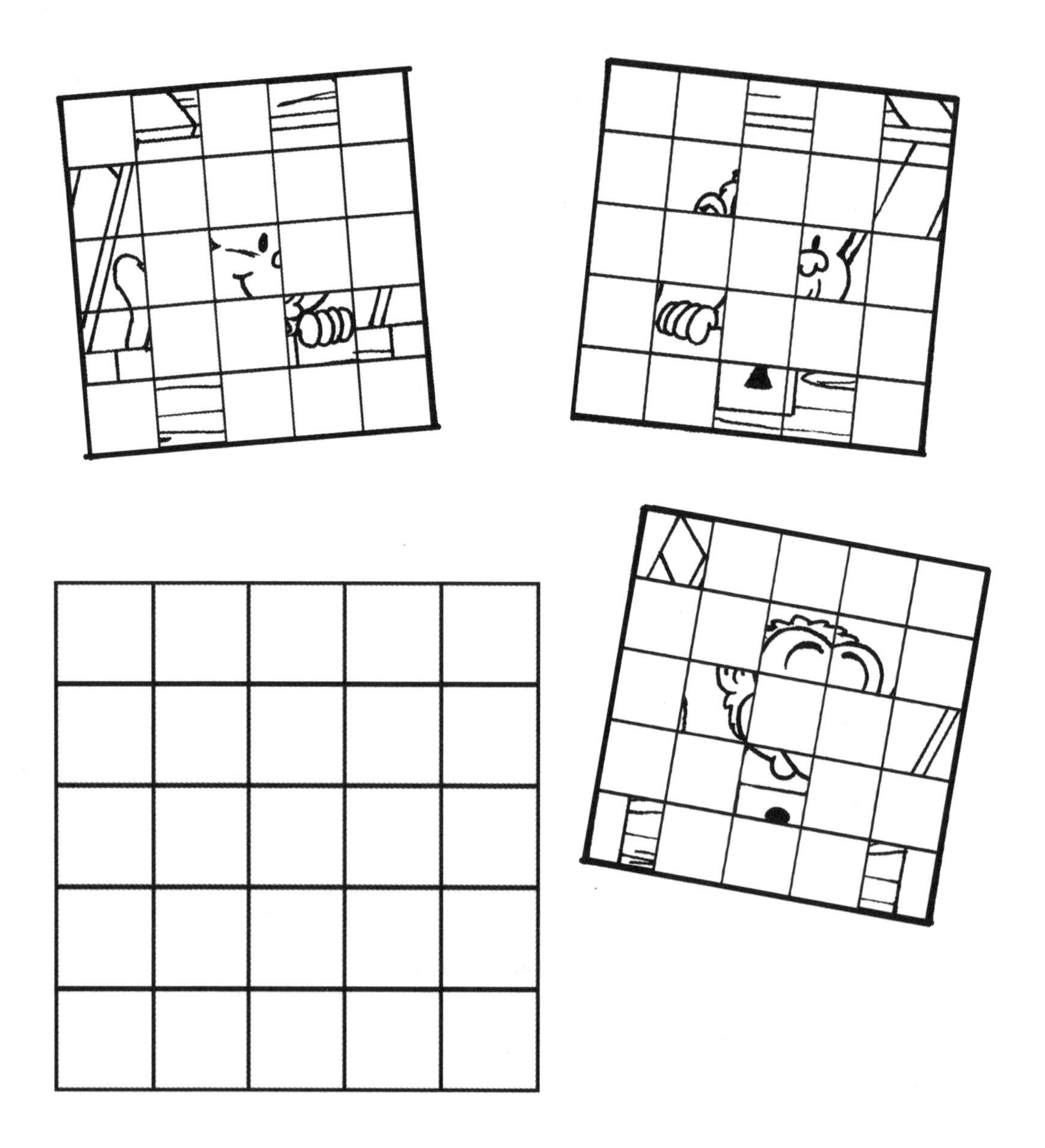

Le cri

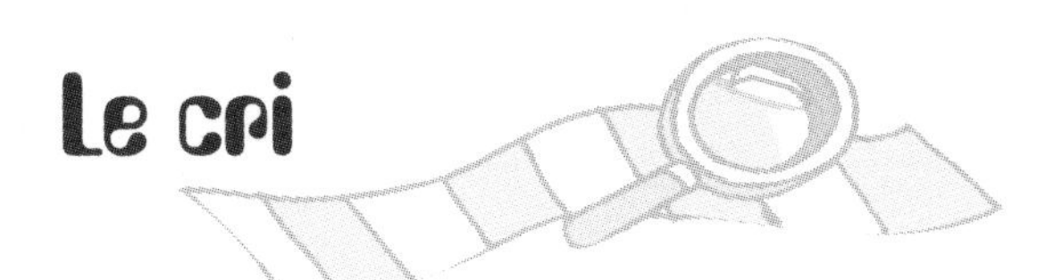

Libéré, Samba saute sur le dos de V. Branche, qui hurle de toutes ses forces. Que crie-t-elle ?

Relie les symboles identiques avec une ligne droite.

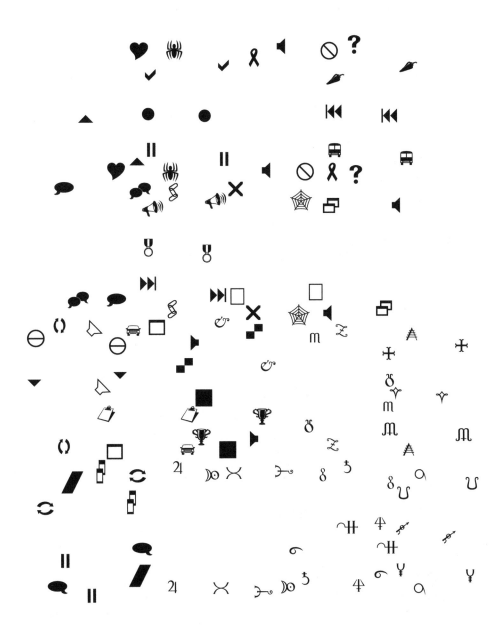

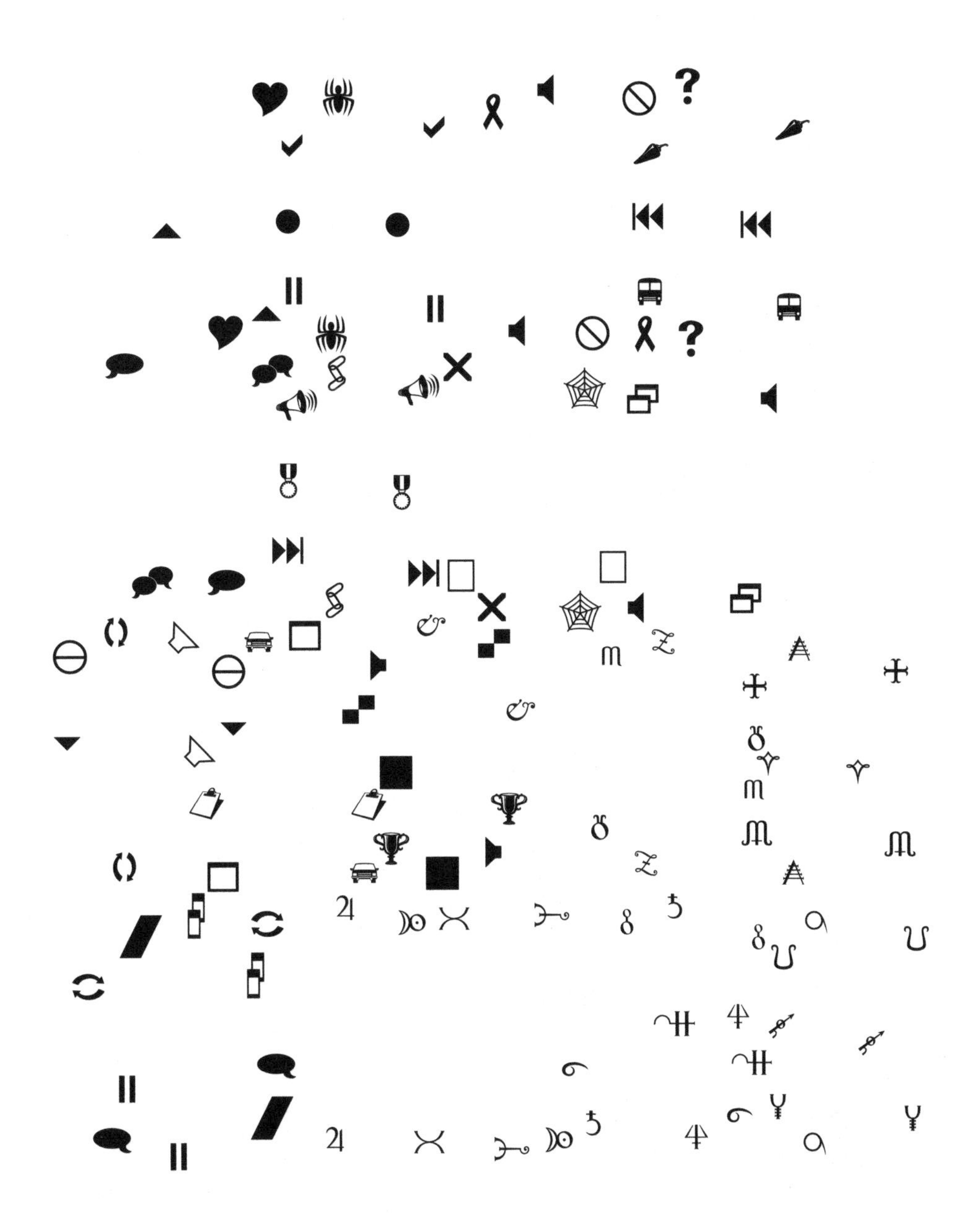

L'enveloppe

Le fils de V. Branche retire Samba du dos de sa mère et le donne à Max 003.
« Ramène-le au zoo, dit-il. Et prends cette enveloppe. »

Qu'y a-t-il d'écrit sur l'enveloppe ?
Suis le **chemin indiqué** par la ligne dans la grille de lettres.

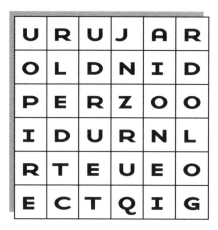

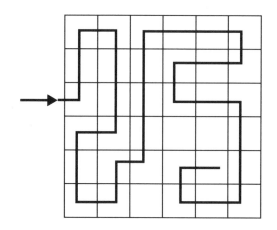

U	R	U	J	A	R
O	L	D	N	I	D
P	E	R	Z	O	O
I	D	U	R	N	L
R	T	E	U	E	O
E	C	T	Q	I	G

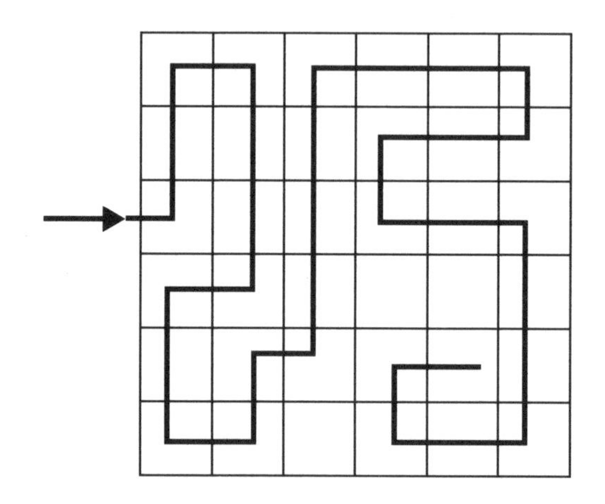

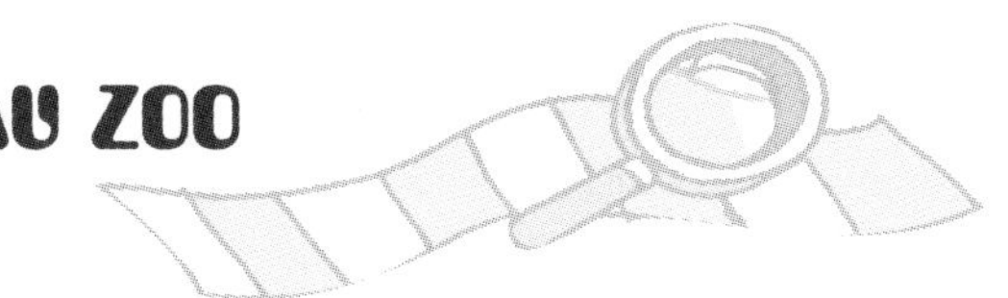

Au zoo

Max 003 veut aller au zoo le plus vite possible.
Mais comment va-t-il transporter Samba ?

Colorie les cases suivantes :
Rangée I : 3, 4, 5, 6, 8, 11, 13, 15, 17
Rangée K : 3, 4, 5, 6, 8, 9, 10, 11, 13, 16, 17
Rangée A : 3, 4, 5, 6, 8, 11, 13, 14, 15, 16
Rangée Q : 3, 4, 5, 8, 9, 10, 11, 13, 14, 15, 16
Rangée B : 3, 8, 11, 13, 16
Rangée N : 3, 6, 8, 11, 13
Rangée C : 3, 4, 5, 6, 8, 11, 13, 14, 15, 16
Rangée G : 3, 4, 5, 6, 8, 9, 10, 11, 13, 14, 17
Rangée H : 3, 8, 11, 13, 15, 17
Rangée M : 3, 4, 5, 8, 9, 10, 11, 13, 14, 15, 16
Rangée D : 6, 8, 11, 13, 15
Rangée O : 3, 6, 8, 11, 13, 14, 15, 16
Rangée J : 6, 8, 11, 13, 15, 17
Rangée P : 3, 6, 8, 11, 16
Rangée E : 3, 4, 5, 6, 8, 9, 10, 11, 13, 16

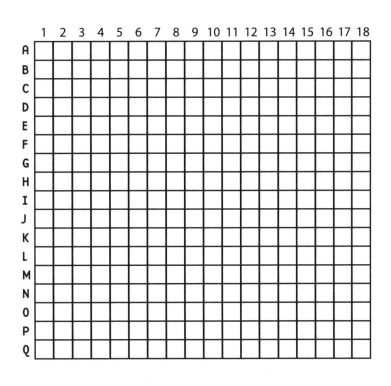

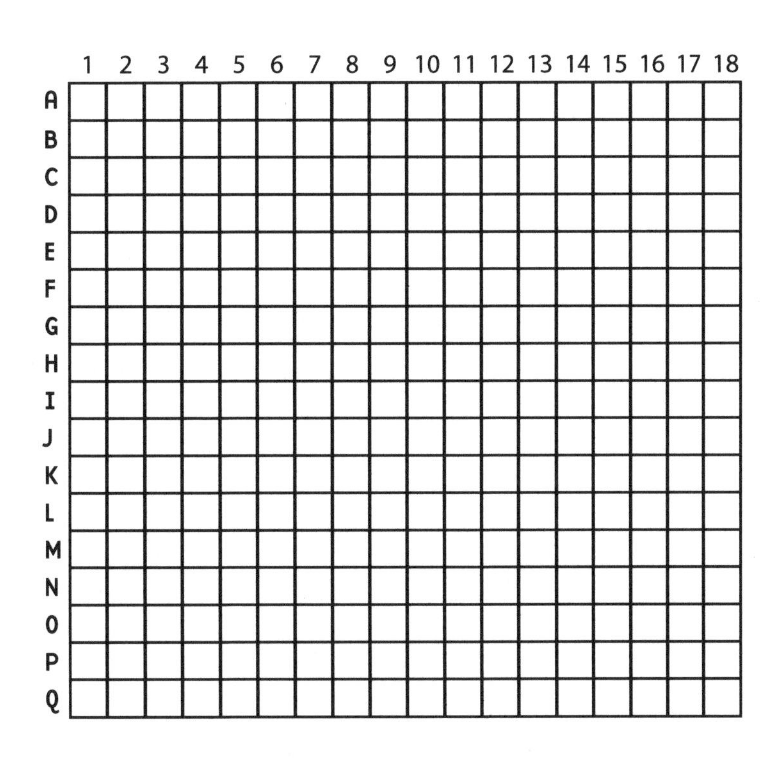

De joyeuses retrouvailles

Le directeur se réjouit du retour de Samba au zoo.
Que lui offre-t-il ?

Cherche l'intrus dans chaque rangée.
Écris **la première lettre de l'intrus** dans la case vide.
Ces lettres te révéleront ce que Samba reçoit.

La lettre miroir

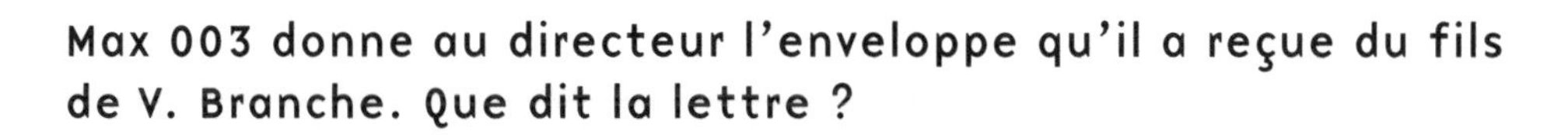

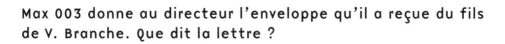

Max 003 donne au directeur l'enveloppe qu'il a reçue du fils de V. Branche. Que dit la lettre ?

Peut-être qu'un **miroir** pourra t'aider...

Monsieur,
Je regrette d'avoir enlevé votre
singe. Je voulais faire une surprise à
ma mère pour son anniversaire. Mais
elle ne veut pas de singe. Je n'osais
pas le ramener moi-même. C'est
pourquoi j'ai demandé une rançon,
pour que vous puissiez retrouver ma
trace. Je n'avais vraiment pas
l'intention de garder la rançon.
Encore une fois, je regrette.
D. Branche

Tout est bien qui finit bien !

Le directeur du zoo remercie Max 003 et Flix.
Il ne t'oublie pas non plus.

Que dit le directeur ?

Solutions

Page 4
Épreuve 1: 10 fois.
Épreuve 2: Un problème ? Max 003 le résout.
Épreuve 3:

Page 5

Page 6
Flix.

Page 7

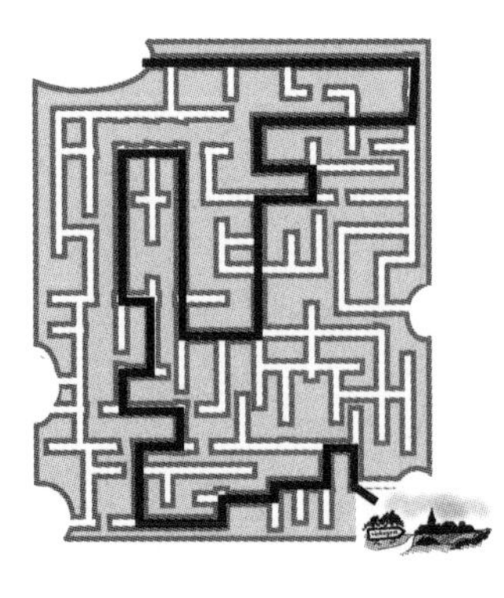

Page 8

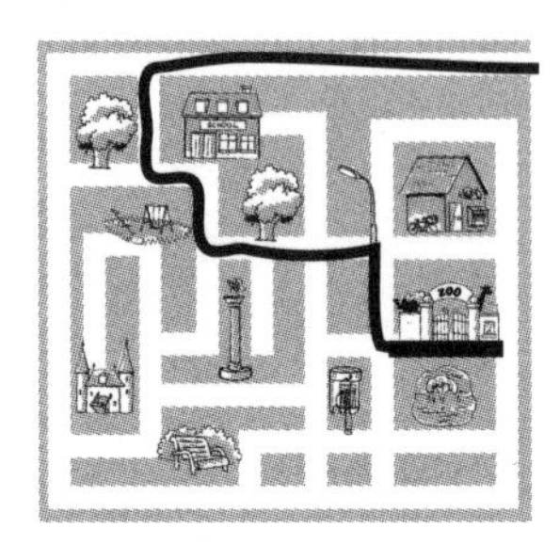

Page 9
Tiptop.

Page 10
L'homme n° 4.

Page 11
Samba.

Page 12
La clé n° 5.

Page 13
L'empreinte n° 1.

Page 14
La pièce de puzzle avec la carte de visite.

Page 15
V. Branche, 48, rue du Bleuet, Boileau.

Page 16

Page 17
La porte de derrière est ouverte, entrez.

Page 18
Les empreintes n°s 2, 8 et 14.

Page 19
Flix voit une chèvre.

Page 20
Oui, cette carte est à moi.
Je l'ai perdue au zoo.
Mais je n'ai pas volé de singe.
Que ferais-je avec un singe ?
J'ai déjà assez de soucis avec Zora, ma chèvre !

Page 21

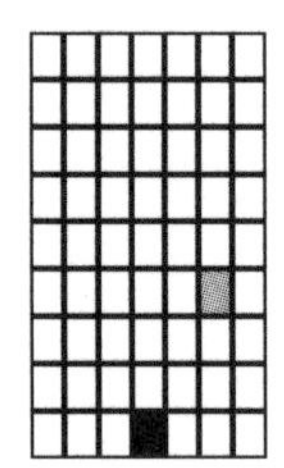

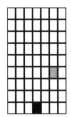

Page 22
Si tu arrives à lire ceci, tu peux entrer.

Page 23
Il y a un singe en peluche près de la fenêtre.

Page 24
Il est 15 h 45.

Page 25
Aidez-moi.

Page 26
Suis la fourgonnette et viens ensuite au zoo.

Page 27
L'ombre n° 4.

Page 28
J'ai enlevé votre singe. Vous le retrouverez si vous payez la rançon. Allez à la cage des deux girafes.

Page 29
4 500 euros.

Page 30
1943,45 euros.

Page 31

		D					L				C		
	C	R	O	C	O	D	I	L	E		H		
		O					O				A		V
P	U	M	A				N				M		A
H		A						Z			E		U
O		D				E	L	E	P	H	A	N	T
Q		A						B			U		O
U		I		S				R					U
E		R	H	I	N	O	C	E	R	O	S		R
		E		N						U			
				G				G	I	R	A	F	E
A	I	G	L	E						S			

Rendez-vous rue du Bleuet

Page 32

Page 33
L'empreinte correspond. Sur l'enveloppe, il y a : Voici l'argent de la rançon.

Page 34
La trace mène à la malle.

Page 35
La corde C.

Page 36
N'y touche pas ! C'est un cadeau pour moi de la part de mon fils. Demain, c'est mon anniversaire.

Page 37
Derrière V. Branche, il y a un homme avec des béquilles.

Page 38

Page 39
Je ne veux pas de singe.

Page 40
Pour le directeur du jardin zoologique.

Page 41

Page 42
Banane.

Page 43
Monsieur,
Je regrette d'avoir enlevé votre singe. Je voulais faire une surprise à ma mère pour son anniversaire. Mais elle ne veut pas de singe. Je n'osais pas le ramener moi-même. C'est pourquoi j'ai demandé une rançon, pour que vous puissiez retrouver ma trace. Je n'avais vraiment pas l'intention de garder la rançon. Encore une fois, je regrette.
D. Branche

Page 44
Merci pour ton aide.
J'espère que tu reviendras souvent au zoo !